MAX BLÖJA

Barbro Lindgren
Eva Eriksson

RABÉN & SJÖGREN

Titta Max!

Titta Max blöja!

Max vill inte kissa blöjan

Max vill kissa golvet

Kommer vovven

Vovven vill kissa blöjan

Max glad
Max kissar golvet

Vovven glad
Vovven kissar blöjan

Kommer mamma

Mamma arg
Fy Max! Inte kissa golvet!

Fy vovven!
Inte kissa Max blöja!

Mamma hämtar annan blöja

Rabén & Sjögren Bokförlag
Box 2052, 103 12 Stockholm
www.raben.se

Första upplagan. Tionde tryckningen
Tryckt i Ungern 2009
ISBN 978-91-29-62903-3

*Rabén & Sjögren Bokförlag ingår i
Norstedts Förlagsgrupp AB, grundad 1823*